엄마,나예요.

엄마, 나예요.

발 행 | 2023년 07월 05일
저 자 | 글 그림 홍미애 /글 옮긴이 김다경
펴낸이 | 한건희
펴낸곳 | 주식회사 부크크
출판사등록 | 2014.07.15(제2014-16호)
주 소 | 서울특별시 금천구 가산디지털1로 119 SK트윈타워 A동 305호
전 화 | 1670-8316
이메일 | info@bookk.co.kr

ISBN | 979-11-410-9336-5

www.bookk.co.kr

엄마 나예요

글 그림 홍미애/글 옮긴이 김다경

"책의 내용"

작가의 작은 말

이세상 모든 엄마 아빠들을 응원합니다.
1년 동안 키워내느라 너무나 고생 많았어요.
처음 생일을 맞이하기까지 안전하고 건강하게 키워낸
엄마 아빠들을 위해,

아이가 어렸던 그 시절을 추억하며 그때를 기억하기 위해
엄마가 그리고 쓰고,그 작은 아이가 자라서 함께
글을 옮겨보았습니다.

그리고 곧 아이를 키워낼 예비 부모님에게도
아기의 소중한 이야기들을 들려주고 싶어요.

"우리 잊지 말아요,"
아기와 처음 만났을때 느꼈던,
그때의 아름다운 감정과 시간들을요.

언제나 나를 사랑해 주세요.
그리고 언제나 엄마아빠를 사랑해요.
라고 온몸으로 말하던 나의 작은 아가를요.

"우리 잊지 말아요, "

아기와 처음 만났을때 느꼈던,
그때의 아름다운 감정과 시간들을요.

언제나 나를 사랑해 주세요.
그리고 언제나 엄마 아빠를 사랑해요.
라고 온몸으로 말하던 "나의 작은 아가"를요.

널 내안에 담고 있을 때,

가끔 기타 선율이 들리는듯 했어.
난 그 소리를 내 물음에 대한
너의 답변이라고 생각했던것 같아.

곧 만나.
" 나의 아가야 "

두근두근...

이제 준비가 된거 같아요.

엄마 나예요

엄마 나예요.

꽃내음 한아름 안고서.
힘들었지만 엄마에게 왔어요.

나 조금만 더자고.
이따 엄마를 만나러 갈께요.
안녕 엄마.

나는 느낄수 있어요

엄마, 나 아직은 눈이 부셔서~ ☆☆

눈을 뜰수가 없어요.

하지만 보이지 않아도 느낄수 있어요.

이렇게 따뜻하고~ ☀

이렇게 밝은 느낌이 나는건,

엄마 일수밖에 없거든요.

엄마의 깊은 품속에 있을때,
나는 엄마의 얼굴을 상상해 보곤 했어요.

엄마의 숨소리를 들으면서요.

그런데 엄마,

엄마를 진짜로 만나고 나니,

엄마의 얼굴은
내가 생각했던 것보다,

더 예쁜거 있죠?

모든게 불편해요

엄마 안에 있었을땐,
모든게 편안하고,

고요 했었는데,

엄마와 떨어지니 . . .
하루하루가 낯설어요.

배는 왜자꾸 고파지고,
응가는 왜 자꾸만
마려운 걸까요?

엄마 미안해요

엄마 오늘 하루 너무 힘들었죠?

미안해요. ♥

그래도 이해해 주세요.
엄마는 나의 우주인걸요.
엄마는 나의 전부인걸요.

그러니 조금만 더 나를 사랑해 주세요.
나는 엄마밖에 모르는 엄마바보 인걸요.

내일은 오늘보다 더 웃게 해줄께요.

세상에서 제일 따뜻하고
세상에서 제일 포근하고
세상에서 제일 향기롭고
세상에서 제일 맛있는건.

그건 바로 엄마의 품.

나는 꿈을 꾸어요

나는 언제나 꿈을 꾸어요.

따뜻한 물속에서 어푸어푸 수영하는 꿈.

맛있는 맘마를 쭉쭉 먹는 꿈.

하늘의 예쁜 별들을 보는 꿈.

그리고 나를 향해 미소짓는

엄마얼굴을 바라보는 꿈.

그 꿈을 꿀때가 제일 기분이 좋아요.

어떤 맛일까요?

엄마, 예쁜 꽃들은 어떤 맛이예요?

파릇파릇한 새싹은 어떤 맛이예요?

따뜻하던 햇살은 어떤 맛이예요?

나는 너무 너무 궁금해요.

그중에서 내 주먹이~

왜 가장 맛있어 보이는 걸까요?

엄마 엄마, 누가 그러는데요.

세상에서 가장 예쁜 꽃은~
예쁜 미소를 가지고 있는 사람꽃이래요.

엄마 엄마, 나를 찾았어요?

사실 조금은 헷갈렸죠?
누가 꽃이게~요?

자꾸 잠이 와요

엄마 얼굴을 더 보고 싶은데, 잠이 와요.

엄마의 숨소리를 더 듣고 싶은데,
자꾸 잠이 와요.

엄마, 내가 꿈나라에 갔다가
돌아올때까지 내 옆에 있어줄거죠?

어디가지 마세요.

눈을 떴을때, 나를 바라보는 엄마 눈을
제일 먼저 보고 싶어요.

엄마보세요

엄마도 그런거죠?

나만 그런거 아니죠?

엄마도 나만보면 웃음이 나는거 맞죠?

엄마도 나처럼~

나를 바라보는 시간이

제일 행복한거죠?

"나도 그래 :)"

엄마가 웃으면 나도 웃음이 나와요.
엄마가 좋으면 나도 좋아요.
엄마가 바라보는 곳을 함께 바라보면서
웃는게 나도 좋아요.

나도 좋아~♥

엄마도 그래요?
엄마도 나를 보면 웃음이 나나요?

엄청 행복해~!

내가 눈을 감으면 엄마가 없어질까봐
너무 무서웠어요.

그런데 엄마엄마~

오늘 부터는 꿈나라로 여행갈때 아주 조금은.

덜 무서울것 같아요.

그러면 엄마가 이제 조금은 더 잘수 있을까요?

아주 조금 이지만 말이예요.

오늘은 어제보다 엄마가 더 많이 잘수있게

내가 빨리 잘게요.

싫어요 싫어요

엄마 나는 여기 앉아있기 싫어요.

여기는 엄마의 향긋한 냄새가 나지 않아요.!!!

여기는 엄마의 숨소리도 들리지 않아요.!

나를 빨리 안아주세요.!

나는 엄마가 너무 너무 좋단 말이예요.!

노력하고 있어요

엄마가 보고싶을때.

엄마가 나를 바라봐 주어야만, 엄마를 볼수 있었는데.
이제는 내가 살짝씩 몸을 돌려서, 엄마를 볼수 있어요.

내가 조금만 더 노력한다면,

그때는 엄마의 얼굴을

바로 바라 볼수 있겠죠?

하늘을 보면서 엄마랑 눈 마주치는 것도 좋지만
엄마에게 더 가까이 가고 싶어요.
엄마는 가만히 있으세요.

이제부터 내가 엄마에게 조금씩 가볼께요.
이제 내가 갈께요.

반짝반짝 빛나요

너무너무 신이나요!
내가 손가락으로 만질때마다
톡톡하고 예쁜 구슬이 터져요.
내가 손을 저을때마다
향긋한 물이 찰랑찰랑 거려요.
그런 나를 보는 엄마의 눈동자도
반짝반짝 빛나요.

너무 너무 예쁘죠?

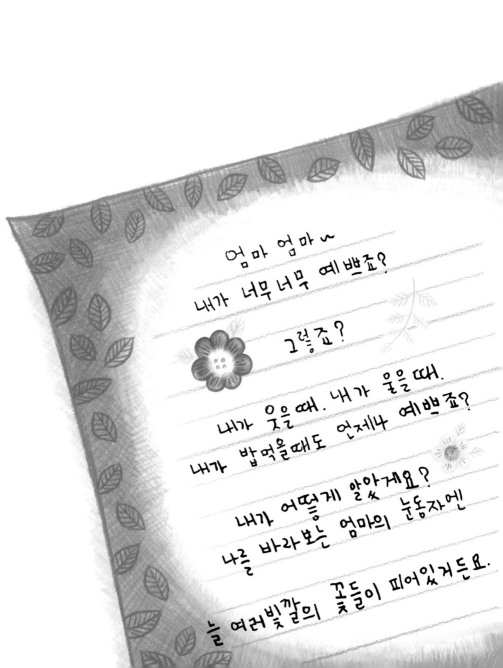

엄마 엄마~
내가 너무너무 예쁘죠?

그렇죠?

내가 웃을 때, 내가 울을 때,
내가 밥먹을때도 언제나 예쁘죠?

내가 어떻게 알았게요?
나를 바라보는 엄마의 눈동자엔

늘 여러빛깔의 꽃들이 피어있거든요.

엄마

my MOM

반짝 반짝거리는 햇살을 느낄수 있고.

살랑거리는 바람을 만날수도 있고.

나뭇잎들이 서로 재잘거리는 소리를 들을수 있는.

엄마와의 산책이 너무 좋아요.

시원한 공기를 마시면서 행복해 하는
엄마의 모습을 바라볼때가

그중에서 제일 좋아요.

엄마의 엄마

엄마품에 있을때도 좋지만

엄마 냄새랑 비슷한 냄새가 나는

엄마의 엄마등에 누워 있을때도 좋아요.

엄마도 나처럼 따뜻하고 보드라운 등에서

새근새근 잠들었겠죠?

이 빨간 건반은 빨간꽃의 향긋한 냄새같고

이 노란 건반은 노란꽃의 예쁜 춤 같아요.

내가 이 건반들을 모두 어루만지면.

아름답고 #예쁜 꽃들의 노래 소리가 들리겠죠?

모두 맛볼꺼예요

책 속에는 맛있는 것들이 많아요.
책 속에는 귀여운 동물들이 많아요.

책 속에는 향기로운 꽃들도 많아요.

그래서 내가 모두 맛볼거예요.
그래야 책의 모든 걸 알 수 있으니까요.

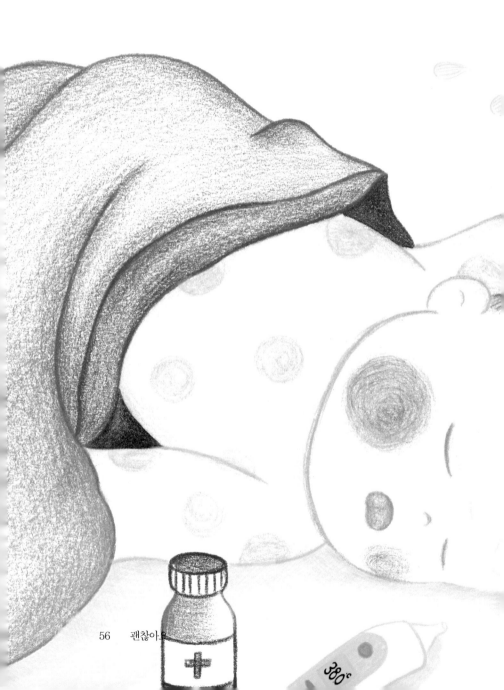

괜찮아요

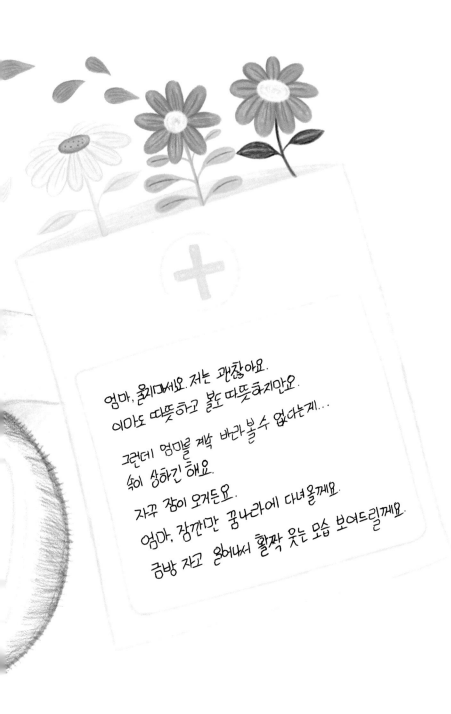

엄마, 울지마세요. 저는 괜찮아요.
이마도 따뜻하고 볼도 따뜻하지만요.

그런데 엄마를 계속 바라 볼 수 없다는게...
속이 상하긴 해요.

자꾸 잠이 오거든요.
엄마, 잠깐만 꿈나라에 다녀올께요.
금방 자고 왔어서 활짝 웃는 모습 보여드릴께요.

엄마 엄마!

이건 무슨맛 이예요?

엄마가 해주는 건

너무 맛있어요.

엄마는 요술쟁이 같아요.

네가 무엇을 좋아하는지

어떻게 알수가 있어요.

또 주세요. 또~

내일도....

그리고 내일 내일두요!

엄마 엄마,
이것 보세요.
이렇게 두발로 서 있는게 보이세요?

조금만 있으면 엄마한테 닦으면서

안길수도 있을것 같아요.

조금만 기다려 주세요.

소중한 나의 걸음마

걷는게 아직 무섭지만
괜찮아요.

엄마가 함께라면요.

엄마가 같이 걸어가 준다면 용기 낼수 있어요.

그대신 내손을 놓지 말아주세요.

꼭 잡아주세요.

언제나 내손을 잡고 함께 걸어가기로

약속해 주세요.

"온세상이 반짝반짝 거려요."

알록달록 초록 나무위에선

예쁜 구슬들도 춤을 추는것 같아요.

그 어떤 즐거운 날도

모두 나와 함께 해 주실꺼죠?

그럼 나는 매일매일이

행복 할것만 같아요.

그럼 나는 언제나 준비해

놓을 께요.

'나'라는

엄마의 선물이요.

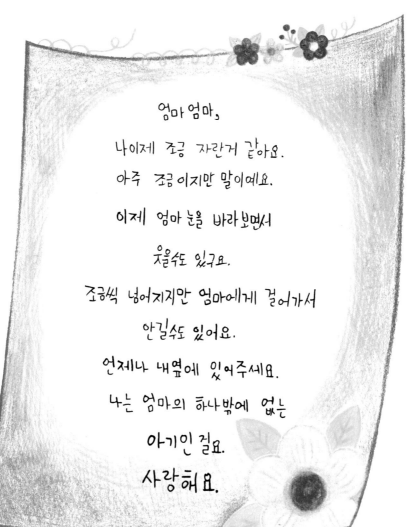

엄마 엄마,

나 이제 조금 자란거 같아요.

아주 조금 이지만 말이예요.

이제 엄마 눈을 바라보면서

웃을수도 있구요.

조금씩 넘어지지만 엄마에게 걸어가서

안길수도 있어요.

언제나 내옆에 있어주세요.

나는 엄마의 하나밖에 없는

아기인 걸요.

사랑해요.

작가의 마무리말

내 아기와 처음 마주보았던
첫 눈맞춤, 첫느낌을 기억하시나요?

내가 너의 우주가 되어줄께 라고 다짐을 하게 되죠.
아기를 키우면서 일 년동안 엄마가 되어가는 과정에서
아기로 인해 행복하기도 했고 힘듦도 느꼈던것 같아요.

부모가 되어가는 고비가 올때마다
아기가 나에게 이렇게 말해주었으면 좋겠다
하는 위로와 사랑의 말들을 상상해서
아기에게 동화된 엄마의 입장에서 써내려가 보았어요.

그동안 안전하고 예쁘게 아이를 키워낸 부모님께 잘했다고
고생했다고 말해주는 선물같은 책을 만들고 싶었어요.

이 세상의 모든 부모님들이 함께 공감해주시길 바래봅니다.

홍미애

"엄마의 이야기"

"당신의 아가"에게 사랑의 이야기를 들려주세요.

어떠한 말들도 좋아요.
아직도 작디작은 나의 아가에게,
그리고 이제는 많이 커버린 나의 아가에게,
아가에게 들려주고 싶은 작은 말들을 써내려가 보세요.

To.

우리 잊지 말아요, 아기와 처음 만났을때 느꼈던,
그때의 아름다운 감정과 시간들을요.

언제나 나를 사랑해 주세요.
그리고 언제나 엄마 아빠를 사랑해요.

라고 온몸으로 말하던
"나의 작은 아가"를요.

"엄마, 나예요. 중"

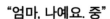

값 8,800원
03810

9 791141 093365
ISBN 979-11-410-9336-5

나름

알게되는

법

도아
濤芽

BOOKK✎